€9.50.

Le yoga des petits appartient à

AELYS LOISEL – POTOK
. . . .

Pour Scarlett, affectueusement — R. W.

Pour ma petite fille Mathilda — M. S.

Traduit de l'anglais par Stéphanie Alglave

ISBN : 9782-07-052222-4

Titre original : *Little Yoga, A Toddler's First Book of Yoga*

Publié en Grande-Bretagne par Hutchinson,
une division de Random House Children's Books

© Rebecca Whitford 2005, pour le texte

© Martina Selway 2005, pour les illustrations

© Gallimard Jeunesse 2005, pour l'édition française

Numéro d'édition : 152694

Loi n° 49-956 du 16 juillet 1949
sur les publications destinées à la jeunesse

1er dépôt légal : août 2005

Dépôt légal : juillet 2007

Imprimé à Singapour

Le yoga des petits

Rebecca Whitford & Martina Selway

GALLIMARD Jeunesse

Petit yogi. . .

agite les bras comme un

flap   flap

papillon.

petit yogi...

Se penche en avant comme un

ouh ouh ouh

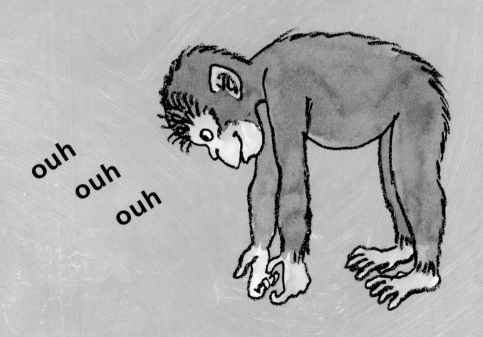

singe.

petit yogi...

tire la langue comme un

haaaaa
haaaaa

lion : «Haaa».

Petit yogi...

fait le dos rond comme un

miaou
miaou

chat en colère.

petit yogi...

s'étire comme un

ouaf
ouaf

chien.

petit yogi...

se pelotonne comme une

zzzzzzzz
zzzzzzzz

souris qui dort.

petit yogi...

Se tient sur un pied comme un

cui cui

petit oiseau.

petit yogi...

s'accroupit comme une

coa
coa

grenouille.

petit yogi
dit qu'il est temps de faire une

sieste.

Z

Z

Z

Z

Z

Z

«Ron-pff, ron-pff»

Le yoga des petits
Conseils aux parents et aux éducateurs

Cet ouvrage constitue une introduction attrayante et amusante au yoga. Il inclut une séance de yoga complète qui divertira les tout-petits. Il suffit d'imiter les illustrations avec maman ou papa ou de lire le texte de façon interactive. Le yoga est excellent pour les enfants, car il accroît la vigueur et la souplesse, améliore la coordination et la concentration et développe la conscience de soi et l'assurance. Il favorise les moments de détente et de tranquillité, permettant aux jeunes enfants d'être progressivement plus calmes et détendus. Les petits sont naturellement souples et auront plaisir à imiter des animaux, mais seront moins enclins à exécuter les postures d'équilibre ou de relaxation.

Le yoga des petits est conçu pour s'amuser, et non comme un manuel : laissez les enfants faire les mouvements à leur guise et prodiguez-leur de nombreux encouragements.

Conseils pratiques

• Pratiquez pieds nus sur une surface non glissante ; choisissez un espace dégagé dans une pièce chauffée et portez des vêtements amples et confortables.

• Comme pour tout exercice, il vaut mieux ne pas effectuer cette séance de yoga immédiatement après un repas.

• Faites les mouvements avec votre enfant afin qu'il puisse vous imiter.

• Tenez compte des capacités de votre enfant et laissez-le exécuter les mouvements à son rythme, tout en lui apportant votre aide si nécessaire.

• Encouragez votre enfant à exécuter les postures, mais ne cherchez pas à ce qu'il atteigne immédiatement la perfection. Cette séance doit avant tout être une expérience amusante et positive.

• Ne forcez pas votre enfant à adopter une posture particulière, ni à la conserver trop longtemps.

• Laissez votre enfant s'amuser en imitant une posture, avant de passer à la suivante.

• Faites en sorte que votre enfant respire bien : il est encore trop jeune pour comprendre à quel moment inspirer et expirer.

Veillez à ce qu'il adopte ou quitte une posture en douceur.

• N'autorisez pas votre enfant à poser un objet lourd sur sa tête, ce qu'il peut être tenté de faire dans la posture du chien, et soyez prêt à le rattraper lorsqu'il est en position d'équilibre !

• Si vous lui racontez une histoire, votre enfant se détendra plus facilement pendant la posture de repos.

• Les postures des enfants photographiés ne sont pas parfaites car ceux-ci les ont interprétées à leur manière.

Les exercices de yoga doivent avant tout rester **simples** et **amusants**.

Description des postures

Le papillon (l'étirement de l'aigle) : debout, ouvrez vos bras sur les côtés. Dressez-vous sur la pointe des pieds. Ramenez ensuite vos bras le long de votre corps et reposez lentement vos talons sur le sol. Il peut être utile de s'entraîner à effectuer les mouvements des bras avant de se dresser sur la pointe des pieds.

Le singe (flexion avant) : debout, levez vos bras devant vous puis penchez-vous en basculant à partir des hanches et laissez votre buste, vos bras et vos mains s'abaisser vers le sol. Fléchissez les genoux si cela vous semble plus confortable. Déroulez lentement votre colonne vertébrale pour revenir à votre position de départ.

Le lion : assis en tailleur, le dos bien droit, les mains posées sur vos genoux, inspirez, puis expirez en émettant le son « haaa » de façon perceptible en sortant votre langue le plus loin possible de votre bouche. Vos bras sont étendus devant vous, paumes tournées vers le haut et doigts écartés. Cet exercice fait parfois loucher les enfants vers la zone située entre les sourcils !

Le chat : a) mettez-vous à quatre pattes, vos genoux étant à la verticale de vos hanches, vos jambes parallèles et vos poignets à la verticale de vos épaules. Cambrez le dos, en levant le menton et en regardant vers le haut.

b) basculez votre bassin vers l'avant tout en arrondissant votre dos et en relâchant votre tête. Enchaînez successivement ces deux postures.

Le chien (le chien tête en bas) : mettez-vous à quatre pattes et poussez sur vos pieds de façon à amener vos hanches vers le haut. Ensuite, reposez vos talons sur le sol, puis poussez sur vos mains et relâchez votre tête et votre nuque. Revenez à votre position initiale.

La souris (l'enfant) : mettez-vous à quatre pattes, jambes jointes, asseyez-vous sur vos talons et posez le front par terre. Votre colonne vertébrale doit rester bien droite. Étendez vos bras derrière vous le long de vos jambes en tournant vos paumes vers le haut. Restez dans cette position et décontractez-vous.

L'oiseau (l'arbre) : debout, réunissez vos mains en un geste de prière à hauteur de votre poitrine et transférez le poids de votre corps sur votre jambe gauche. Soulevez votre talon droit et posez-le contre votre cheville gauche, tout en prenant appui sur vos orteils. Votre genou droit est alors tourné vers l'extérieur. Une fois en équilibre, levez vos mains toujours jointes au-dessus de votre tête et tendez-les vers le haut. Reposez ensuite votre talon droit sur le sol et répétez le mouvement de l'autre côté. Il est plus facile de vous exercer contre un mur. Une fois que vous êtes en équilibre, il est possible de poser le pied plus haut contre l'intérieur de la jambe, tout en laissant le genou tourné vers l'extérieur.

La grenouille (le corbeau) : mettez-vous debout. Vos pieds doivent être écartés au minimum de la largeur de vos hanches et vos orteils, tournés vers l'extérieur. Accroupissez-vous en posant vos mains sur le sol entre vos pieds, directement à la verticale de vos épaules. Votre colonne vertébrale doit rester bien droite et votre tête, être dans le prolongement de celle-ci.

Repos («savasana») : allongez-vous sur le dos, le corps bien droit. Vos pieds doivent être écartés de la largeur de vos hanches et vos orteils, tournés vers l'extérieur. Écartez légèrement vos bras de votre torse, paumes tournées vers le haut. Gardez votre tête dans le prolongement de votre colonne vertébrale et fermez les yeux. Imaginez que votre corps s'enfonce dans un nuage...

Le Singe (flexion avant)

Le papillon (l'étirement de l'aigle)

a)Le chat

Le lion

b)Le chat

Le chien(le chien tête en bas)

La souris (l'enfant)

L'oiseau (l'arbre)

La grenouille(le corbeau)

Repos(«savasana»)